안도현 시
1961년 경상북도 예천에서 태어났습니다. 1981년 〈매일신문〉 신춘문예에 시가 당선되어 등단했습니다.
《서울로 가는 전봉준》을 비롯해 11권의 시집을 냈습니다.
《나무 잎사귀 뒤쪽 마을》, 《냠냠》, 《기러기는 차갑다》 등의 동시집과 다수의 동화를 쓰기도 했으며,
100쇄를 넘긴 어른을 위한 동화 《연어》는 15개국의 언어로 해외에 번역 출간되었습니다.
소월시문학상, 백석문학상, 석정시문학상 등을 받았습니다. 현재 단국대학교 문예창작과 교수로 재직 중입니다.

연수 그림
얼핏 들여다보면 평범하지만 자세히 보면 색다른 그림책을 쓰고 그립니다.
쓰고 그린 책 《이상한 하루》로 2019년 황금도깨비상 대상을 받았습니다.
《이상한 동물원》을 쓰고 그렸고, 그린 책으로 《할머니의 지청구》, 《나무가 좋아요》, 《지구의 일》이 있습니다.

안선재(앤서니 수사, Brother Anthony of Taizé) 번역
영국에서 태어나 옥스퍼드대학교에서 학위를 받고, 1985년부터 서강대학교 영문과 교수로, 현재는 서강대학교 명예교수로 재직하고 있습니다.
1994년에 우리나라로 귀화했으며, 대한민국문학상 번역부문 대상, 대산문학상 번역상, 한국펜클럽 번역상을 수상했고,
2008년 옥관문화훈장을 받았습니다.
고은 시인의 《만인보*Ten Thousand Lives*》와 《화엄경*Little Pilgrim*》 등 30권이 넘는 한국 시와 소설을 영문으로 번역했습니다.

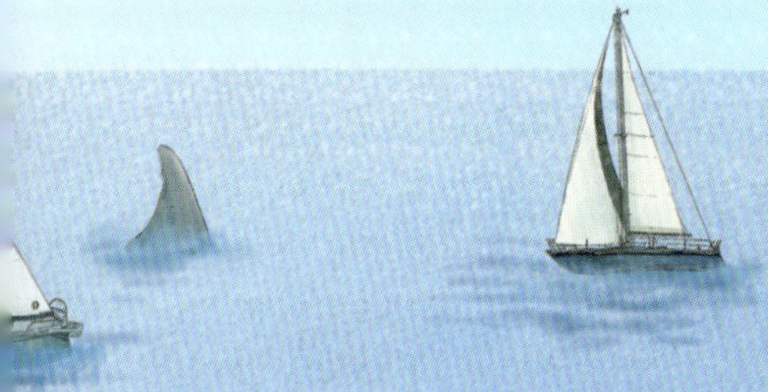

배를 그리는 법
How to Draw a Ship

1판 1쇄 | 2022년 3월 10일

시 | 안도현
그림 | 연수
번역 | 안선재(Brother Anthony of Taizé)

펴낸이 | 박현진
펴낸곳 | (주)풀과바람
주소 | 경기도 파주시 회동길 329(서패동, 파주출판도시)
전화 | 031) 955-9655~6
팩스 | 031) 955-9657
출판등록 | 2000년 4월 24일 제20-328호
블로그 | blog.naver.com/grassandwind
이메일 | grassandwind@hanmail.net

편집 | 이영란
디자인 | 박기준
마케팅 | 이승민

값 12,000원
ISBN 978-89-8389-978-1 77810

※ 잘못 만들어진 책은 구입처에서 바꾸어 드립니다.

제품명 배를 그리는 법 | 제조자명 (주)풀과바람 | 제조국명 대한민국
전화번호 031)955-9655~6 | 주소 경기도 파주시 회동길 329
제조년월 2022년 3월 10일 | 사용 연령 4세 이상
KC마크는 이 제품이 공통안전기준에 적합하였음을 의미합니다.

⚠ 주의
어린이가 책 모서리에 다치지 않게 주의하세요.

배를 그리는 법

시 안도현 · 그림 연수

바우솔

선생님이 바다 위에 뜬 배 한 척을 그려보라고 하자,

바람에 미끄러지는 돛단배를 그린 아이도 있었고,

멋진 수염을 달고 가는 증기선을 그린 아이도 있었고,

고기잡이배와 그물을 그린 아이도 있었고,

항구에 닻 내리는 컨테이너선을 그린 아이도 있었고,

HBH

대포 실은 군함이며 해병들을 그린 아이도 있었고,

노을 지는 고요한 해변에 떠 있는
유람선을 그린 아이도 있었고,

집채 같은 파도 위에 올라앉은 아슬아슬한 배,

수평선을 향해 나아가는 요트,

이순신 장군의 거북선,

무인도의 뗏목을 그린 아이도 있었다

그런데 도화지 위에
딱 쌀알만 한 점 한 개만 찍은 아이도 있었다.

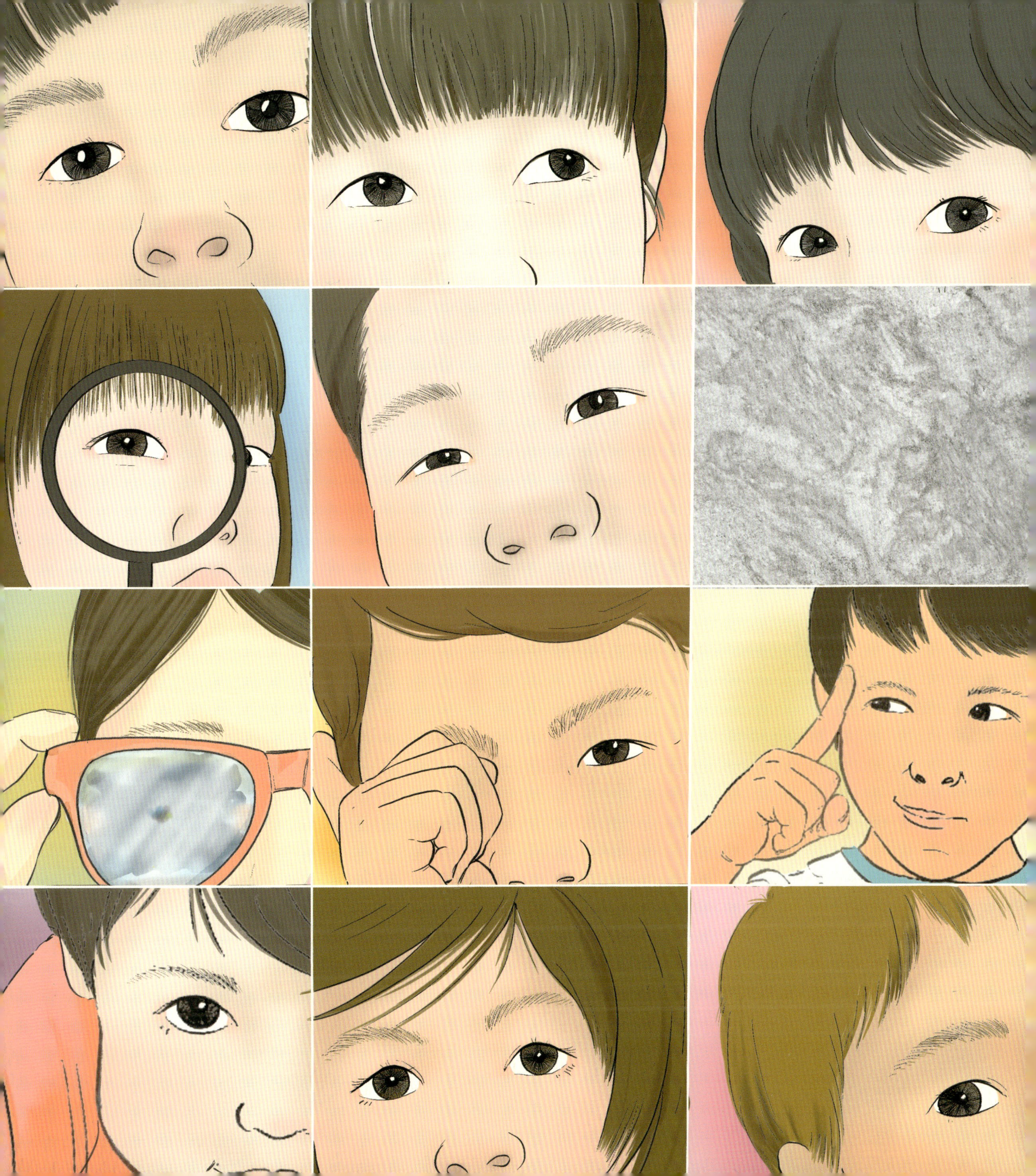

How to Draw a Ship

When the teacher asked us to draw a ship floating on the sea,

One child drew a sailboat gliding along in the wind,
another child drew a steamer with a nice beard,
there was a child who drew a fishing boat with a net,
there was another who drew a container ship anchoring in a port,
and there was a child who drew a battleship with guns and marines,
one drew a cruise ship floating by a calm beach at sunset,
and there were others who drew
a frail boat perched on a towering wave,
a yacht heading towards the horizon,
Admiral Yi Sun-sin's Turtle Ship,
a raft on a deserted island,

But there was also a child who simply drew
a dot the size of one grain of rice on the paper.